北遠の災害伝承

語り継がれたハザードマップ

INDEX

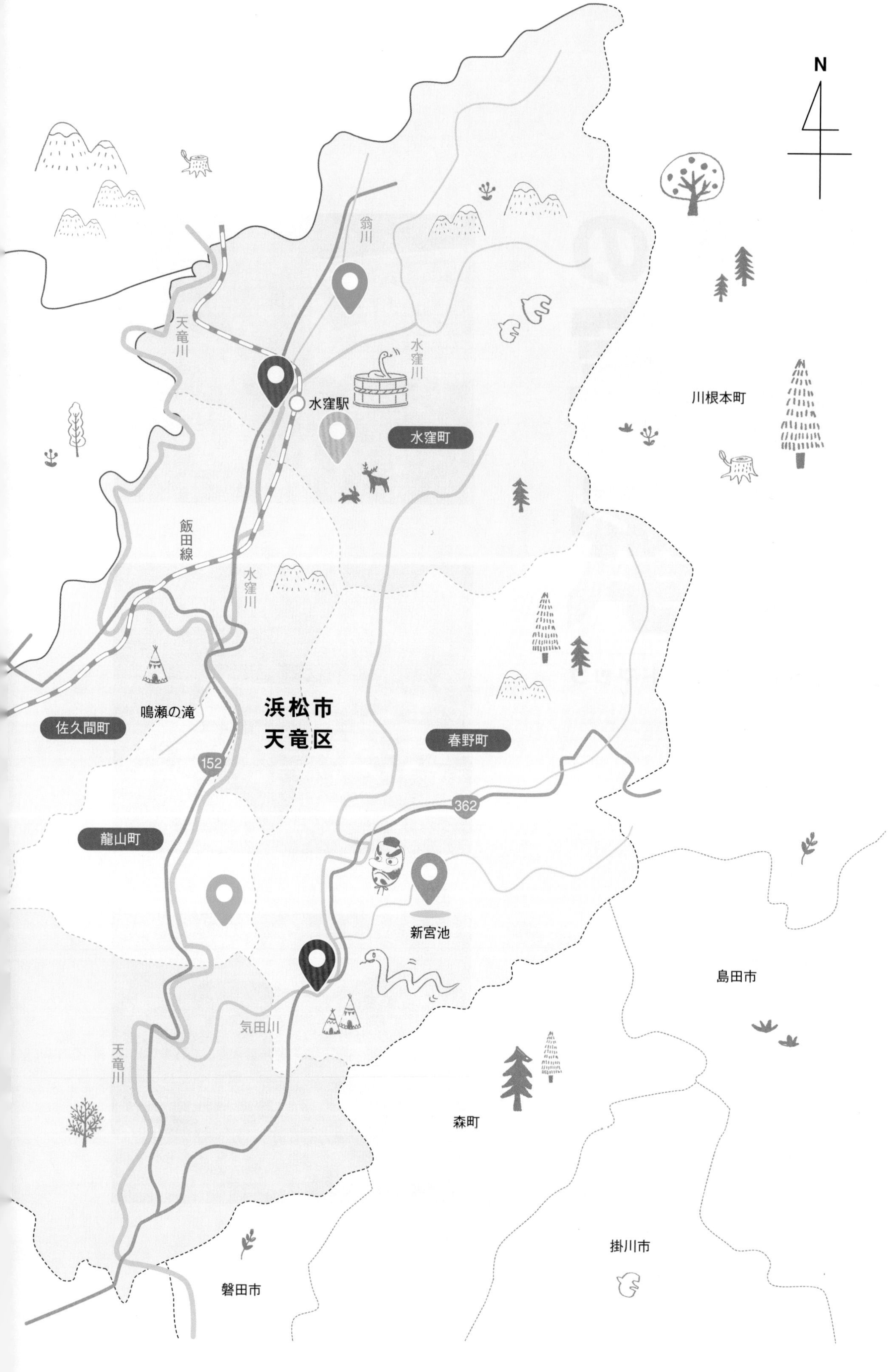
N
翁川
天竜川
水窪川
水窪駅
水窪町
川根本町
飯田線
水窪川
浜松市
天竜区
鳴瀬の滝
佐久間町
春野町
152
362
龍山町
新宮池
島田市
気田川
天竜川
森町
掛川市
磐田市

災害伝承マップ

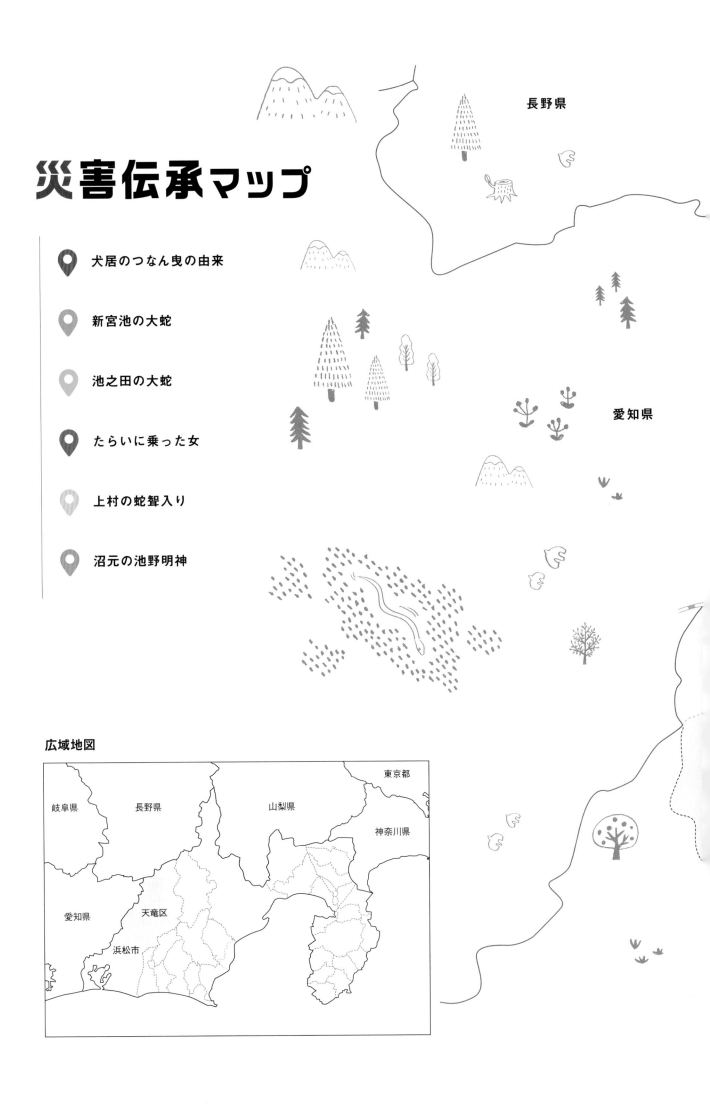

- 犬居のつなん曳の由来
- 新宮池の大蛇
- 池之田の大蛇
- たらいに乗った女
- 上村の蛇聟入り
- 沼元の池野明神

広域地図

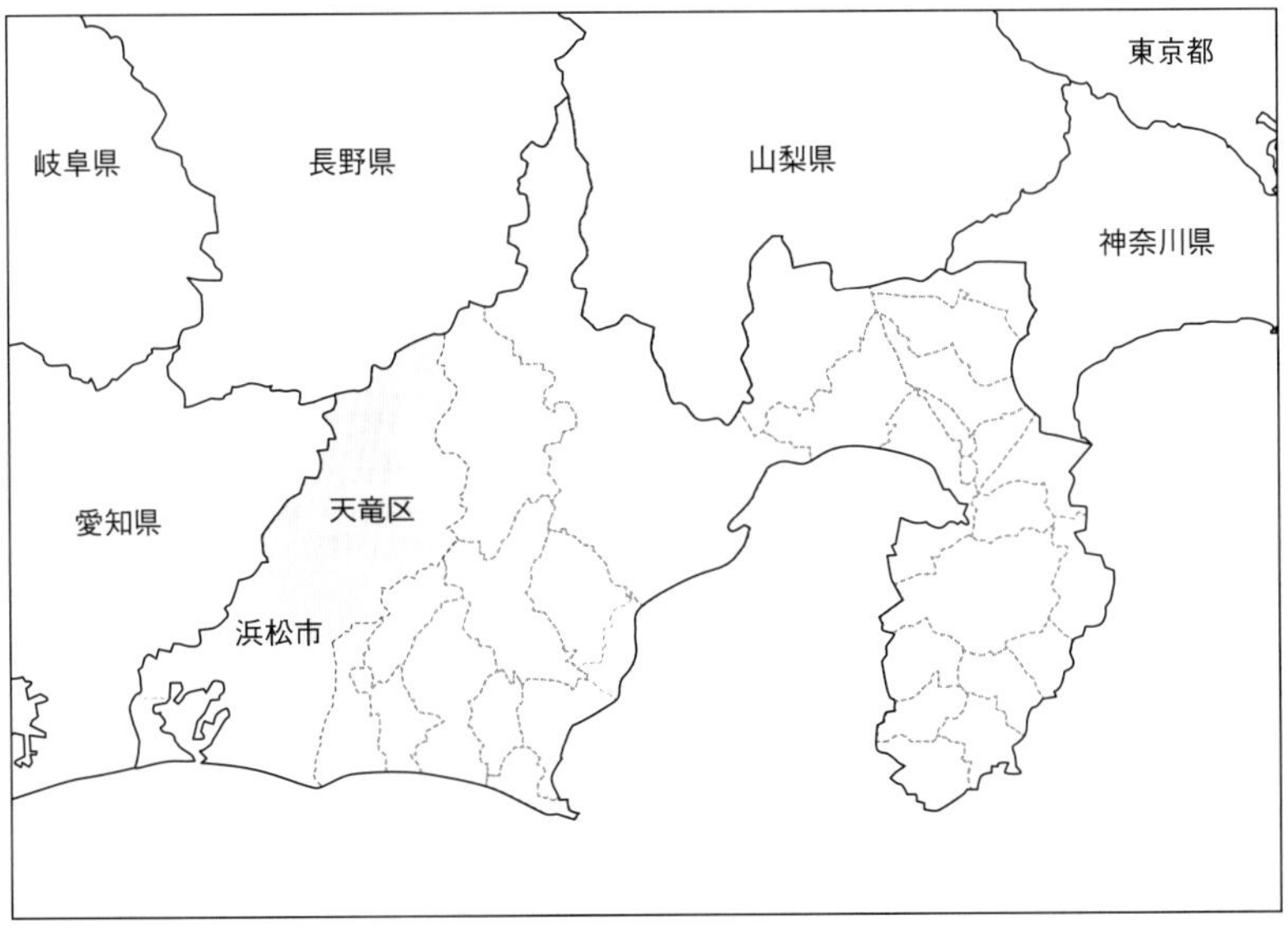

犬居《いぬい》のつなん曳《びき》の由来（一）

中田　信子（春野町・平野）

それさ、大水《おおみず》ん出たときにね、
堤防が切れそうになっただってさ。
犬居の町のところにずーっと堤防があるんだよね。
そこんところ、もう切れる寸前にね、
大きな竜《りゅう》が出てきて、その堤防ずーっとあれしてね、
水を防いだもんでね、
そこん堤防切れなしに助かったっちゅう意味でね。
それだもんで、竜を作ってきちゃあ、
五月の五日にはね、必ずやるですよ。

犬居のつなん曳の由来（二）

竹内　繁（春野町・若身）

それはね、犬居でさ、そこに橋があるら。

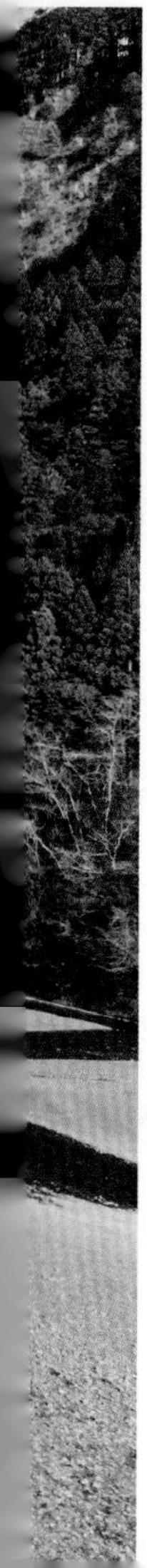

伝説の舞台、春野町犬居。
かつては肥沃な土壌を活か
した水田が広がっていた。

橋の向こっかで、毎年水害に遭《あ》うだ。
大水が出て、その堤防を切って、
田畑《でんはた》を荒らされるって言《ゆ》うで、
そうゆう洪水があったけど。
ある年に、その大蛇《だいじゃ》、大雨を降らして
空から降りてきて。
ほいで犬居へ、この橋の向こうの集落の堤防に、
大蛇が、こう、二匹。
ほいで洪水を防いだって。

過去にたびたび洪水を引き起こした気田川と犬居の堤防。

熱田神社に合祀される諏訪神社。現在では龍は諏訪の神の使いとされている。

毎年５月５日に催される「つなん曳」。（写真提供：上嶋浩志氏）

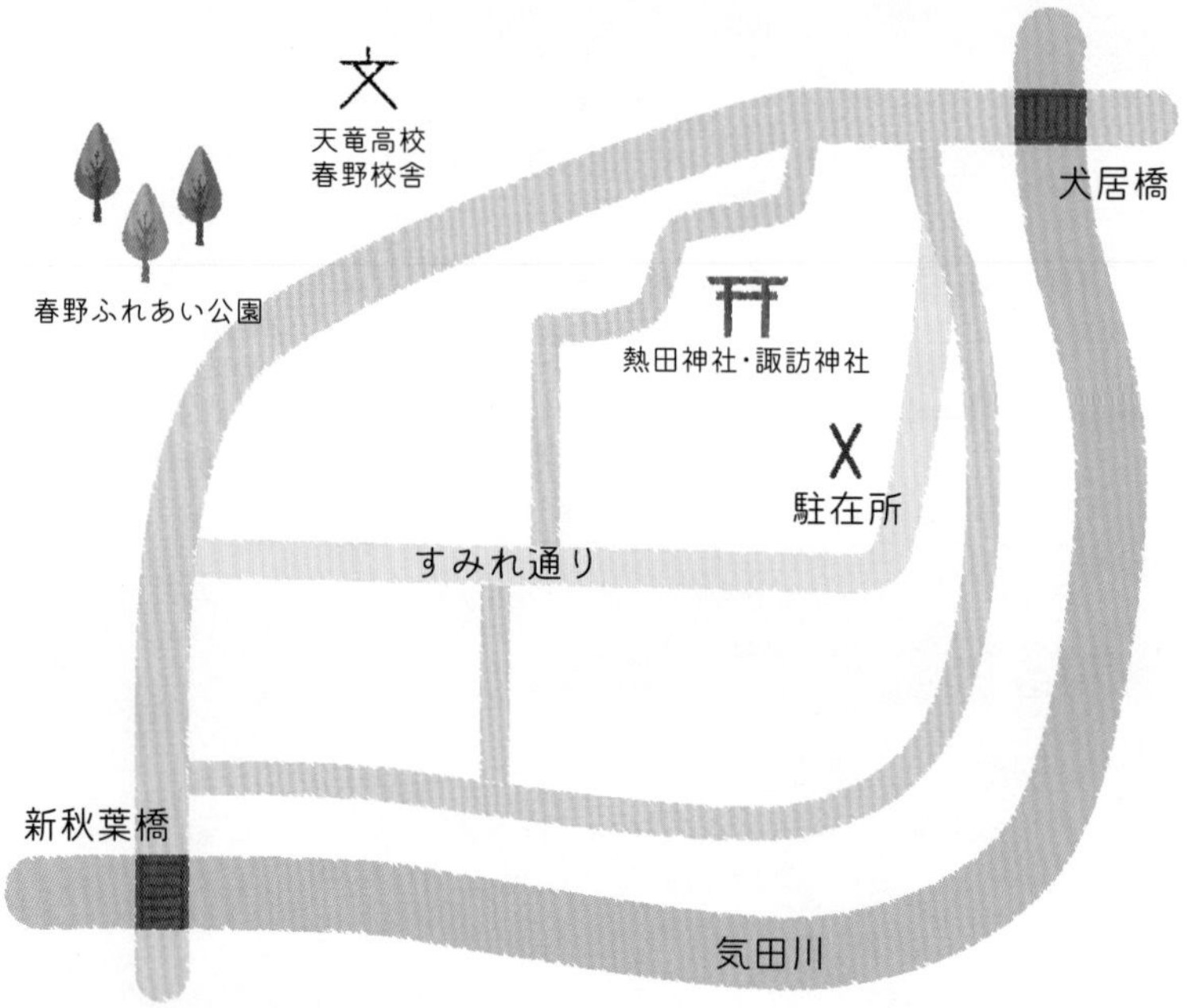

伝承解説

川嶋 結麻

昔、ある年に大雨が降って気田川があふれ、堤防が決壊寸前となった。そのとき大きな龍が現れ、身を挺して堤防となり、犬居を気田川の氾濫から救ったという。

この伝説とともに、犬居では毎年五月五日に「つなん曳」という祭礼が催されている。

当日の朝、「龍勢社」というまつり組織の若者たちが気田川の河原に集い、竹や柳の枝、葦、藁、レンゲの花などを材料として巨大な龍を作る。日が暮れた後、龍の頭部を龍勢社の若者が担ぎ、龍の胴体から伸びた綱を子どもたちが曳きながら、犬居の街路を練り歩く。道中では初子が生まれた家や初節句の家に龍の頭を押し込んで祝い、それらの家で接待を受ける。最後に龍は犬居橋まで運ばれ、橋の上から気田川に放り投げられて祭礼は終了する。

大正六年(一九一七)に編纂された『静岡縣周智郡誌』によると、かつて「つなん曳」は六月一五日に行われていたという。当時は龍ではなく大蛇とされていて、その大蛇を曳き回し、川に流していた。災厄や穢れを大蛇に乗せて川に流し去ると、水害や疫病を防ぐことができると信じられていたらしい。

当時、犬居では六月一五日に祇園祭が催されていた。祇園祭も本来は疫病や水害を防ぐための祭礼である。同日に執り行われた「つなん曳」は、もともと祇園祭の一部としての意味合いが強かったのではないだろうか。

水害や疫病の象徴としてその穢れを担わされた大蛇は、いつのまにか龍となり、洪水から集落を守った存在へと変貌した。祇園祭の一部であった時代は忘れられ、むしろ熱田神社と合祀される諏訪神社の龍神として崇められるようになった。現在の「つなん曳」は子どもの健やかな成長も祈願されているが、これは祭礼が五月五日に行われるようになったためだろう。

犬居には豊かな水田が広がっているが、その成り立ちは気田川の氾濫平野である。かつての気田川は現在の水流とは異なり、集落側に水が流れ込んでいた。住宅が立ち並ぶ自然堤防はその名残である。気田川が氾濫した際には、低地の水田は言うまでもなく、高地にある住宅さえも洪水の被害を受けることがあった。『静岡縣周智郡誌』には明治時代に幾度も浸水被害があったと記録されている。

その一方で、気田川の氾濫によって豊かな水田を維持するための肥沃な土壌がもたらされていたことも事実である。犬居の人々は洪水による生活基盤の危機と向き合いながら、気田川の恩恵を享受し発展してきた。

Tale 02

新宮池《しんぐういけ》の大蛇《だいじゃ》（一）

坪見　訓子（春野町・和泉平）

レンゲの花が咲いて、それを 長者《ちょうじゃ》 のお姫さまが
折ったら大蛇の尻尾《しっぽ》。
そいで尻尾を折られたもんで、
大蛇痛くて暴れて。
ボラ沢《ざわ》というのあるだよ。
ほいで長者屋敷ともあるだよ。
長者さんが住んでた、その屋敷もあるだよ。
それでその大蛇が尻尾折られて
痛いもんだで暴れて逃げて行って
家山《いえやま》の野守《のもり》の森っていう、
そこへ逃げて行ったとゆう伝説だいね。
ほいで大蛇が暴れて行ったんで、
それボラ沢っちゅう。

大蛇の伝説を
伝える新宮池。

新宮池の大蛇（二）

加藤　きみ子（春野町・和泉平）

田んぼにね、レンゲの花ん咲いてるもんで、
ほいでその上に屋敷があるだんね、こっちに、東に。
そこの家の屋敷の娘らが、レンゲ採って遊んでたって。
そしたらそこへ大蛇が出て、娘を攫《さら》っちゃったの。
ほいで村人が怒って、大蛇を退治、ね。
そしたら大蛇が暴れて、ほいであの池になったって。
ほいで大蛇が向こうの池尻からどっかへ逃げたって。

和泉平の穏やかな斜面には茶畑が広がる。

毎年７月下旬に催される新宮池夏祭り。（写真提供：春野協働センター）

新宮池を水源とする谷沢。現在は砂防ダムが設けられている。

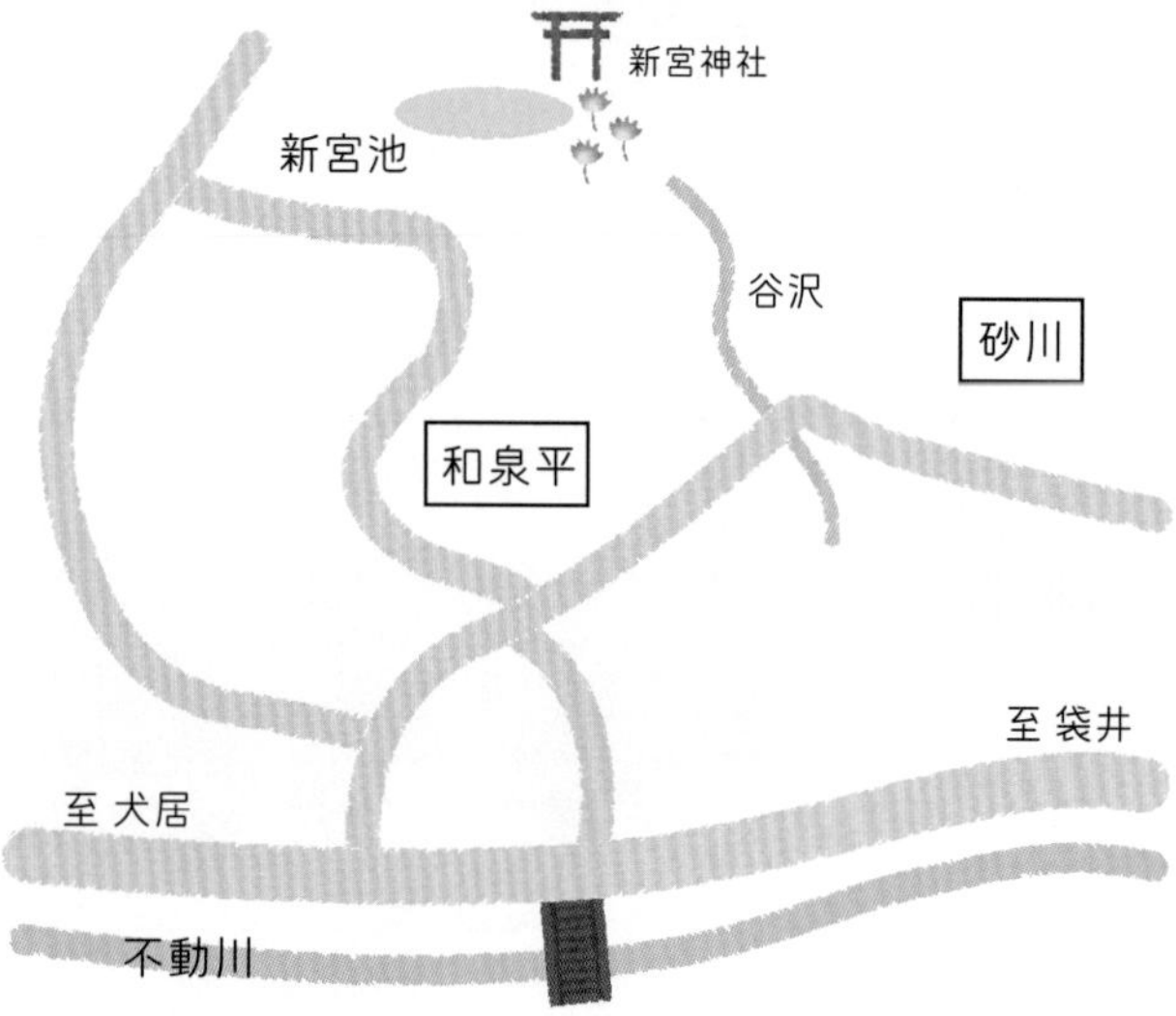

伝承解説

小川 日南

長者の娘が田んぼでレンゲの花を摘みながら遊んでいた。そこに大蛇が現れて娘を攫ってゆく。怒った村人たちが大蛇を退治すると、大蛇はその地を暴れて出て行った。そして田んぼは池になった。それが今の新宮池であるという。また別の語り手によれば、娘がレンゲの花だと思って摘んだのが実は大蛇の尻尾だったという。大蛇はあまりの痛さに暴れ出て家山《いえやま》（島田市川根町家山）の野守《のもり》の森へ逃げていったとも伝えられている。

伝説の舞台となる新宮池は、浜松市天竜区春野町の和泉平《いずみだいら》にある。高塚山の山頂に近い標高五〇〇ｍほどの尾根の上で、周囲を森に囲まれて満々と水を湛えている。池そのものが巨大な湧き水で、江戸時代後期に編纂された『掛川誌稿』によれば、和泉平という地名はこの池に由来するという。新宮池の水はいったん地下に浸み込み、和泉平の里の井戸に湧き出ていると信じられてきた。水源の真偽はともかくとして、和泉平に暮らす人々にとって新宮池は豊かな水源の象徴であった。

「新宮池の大蛇」は長者の娘がレンゲの花を摘んでいたところから語られる。レンゲの花は桜が散った頃に咲く。その頃、高塚山の雪解け水は伏流水となり、新宮池に湧き出て池の水かさが増す。そのような時期に春の大雨が重なれば山の保水力は限界に達し、土砂災害につながることもあるだろう。レンゲの花はその災害の季節を告げる目安だったのではないだろうか。

和泉平とその奥にある砂川《いさがわ》との境は深い谷になっている。その谷を流れるのが谷沢である。谷沢は新宮池を水源とする。現在では放水路として整備されているが、かつては大雨が降るとしばしば谷沿いに土砂崩れが起こっていたという。その様子は新宮池の大蛇が暴れ出て行く情景につながっているのではないだろうか。

『掛川誌稿』には、原山池（新宮池）が昔は水田だったと伝えられることや、池のほとりに「長者屋敷」と呼ばれる場所があり、昔は長者が住んでいたと伝えられていることなどが記されている。昔は水田だったとか長者屋敷だとかは「新宮池の大蛇」の伝説の中で語られる要素である。だとすれば、『掛川誌稿』が編纂された頃にはすでに、大蛇が長者の娘を攫って暴れ出るという伝説が成立していたと考えられる。

大蛇が暴れ出て行った後の新宮池は、和泉平の人たちに恵みをもたらす水源となった。新宮池のほとりには新宮神社が祀られている。毎年七月下旬に「新宮池夏祭り」が催され、池には提灯で飾られた屋台舟が浮かべられる。日頃は静かな山の池もこの日は賑わいを見せる。

池之田《いけんだ》の大蛇《だいじゃ》

小林　安一（龍山町・戸倉・戸倉空）

今、戸倉にね、遠山《とおやま》っちゅう家《うち》があるだけど。戸倉のお宮さんのすぐ向こう、川を渡ってそちらっ側《かわ》だよね。一軒あるだけど、そこに住んでるだけど。そこの先祖が、秋葉山《あきはさん》から一〇〇メーターくらい下がったとこかな、そこに、寺侍《てらざむらい》っつってね、二人だかいただって。高山《たかやま》ったか。それと、遠山っつったかね。池之田《いけんだ》とは何《なん》か三〇メーターかね、そこらしか離れておらんで三、四〇メーターあるんじゃないかな。その子どもが、池へ遊びに行って。ほうたらしゃーんっつって、ひなりおおって泣くもんで、ひょおっと見たら、大蛇がね、その子どもを咥《くわ》えて、池ん中へこうふうに、引きずる込むとこだって。それを見た親父さんが「こりゃ」と思ってすぐ弓矢持ってね、走って降りてって。それで、息子はこうふうにざーっと、池の中にこうふうにずり込んで潜《もぐ》らうかと思うとこ、目をめがけてね、弓でぴたーっとやったら当たっただって、目へ。ほいたら、息子は離いで。ほうで、自分はこうふうにもがいて中へ潜って行っただって。ほんだでさっと息子を掴まえて抱いて。ほいたら、俄《にわ》かに一転俄かにかき曇って雷《かみなり》ん鳴るから、ものすごい夕立でね。ほうでみるみるうちに池の水がこんな溢《あふ》れてきて、いっぱいなっちゃって。ほで、山を溢れ出ちゃって山をずーっと流れ出しただって。

天竜川から秋葉山を見上げる。伝説ではこの山を大蛇が下り落ちてきたとされる。

ほうしたら大蛇がね、下からがーっと出てきて、
その流れ出る水に乗ってずーっと山を下って、
どんどん行ったたって。
その、ずーっと下ってきたとこが鮎釣《あゆづり》のね、
それと雲名《うんな》っちゅうんとこ向こうにあるだ。
雲名の一番こったと鮎釣の一番下《しも》の近所の向えっ側に
蛇淵《じゃぶち》っちゅうとこあるですよ。
それこそこれくらいのね、岩下みたいな淵があって、
そこへね、住み着いただって。
ほいで、昔っから、大水ん出たりいろいろして、
水は濁ったりね、天竜には濁るけど、
そこの蛇淵の、蛇《じゃ》が住んでるとこは濁りゃへんて。
ほいで、そこの、蛇淵のそこへ住んでた蛇が、
大満水んときに出て、天竜川上って行って。
ほいで諏訪湖へ住み着いたって。諏訪湖にも、
大蛇が住んでるっちゅう話があるだけど、
それはこっちから上ってった大蛇だって。

白尾稲荷社の脇の窪地は池之田の跡と伝えられる。

ガッサラと呼ばれる河原。河原の岩は寛政9年に戸倉でおきた山崩れの跡とされる。

鮎釣の集落から程近いところにある蛇淵。川の流れは穏やかである。

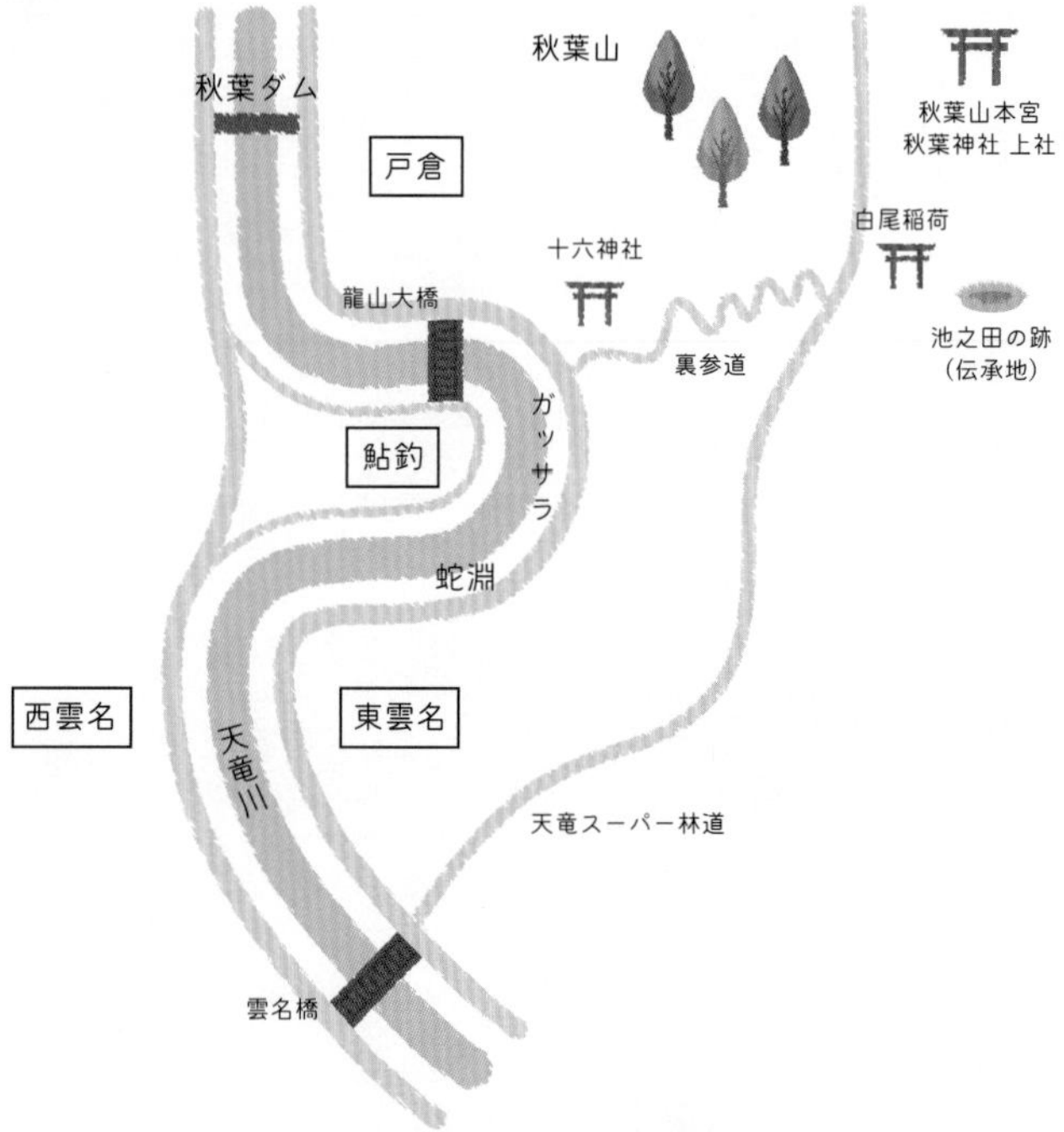

伝承解説

青島 萌果

秋葉山裏参道の三四丁目付近、白尾稲荷社の傍らに池之田と呼ばれる窪地がある。昔はそこに池があったと伝えられている。

池之田の近くには秋葉権現に仕える遠山という寺侍が住んでいた。その子どもが池に遊びに行くと、池に住む大蛇が子どもを咥えて引きずり込もうとした。子どもの泣き声を聞いた父親は大蛇に向かって弓矢を放つ。矢は大蛇の眼を射抜き、大蛇は子どもを放って、もがきながら水中に戻った。その直後に激しい夕立が降った。池の水が溢れ、大蛇は流れる水に乗って山を下っていった。

江戸時代から明治、大正頃にかけて秋葉権現（秋葉神社）は火防《ひぶせ》の神として信仰され、全国から多くの参詣者たちが秋葉山を訪れた。秋葉山への参詣道のうち、南側からの尾根伝いに登る道を表参道、西側の尾根道を裏参道という。信州からの参詣者や三河の鳳来寺を経て来た人たちは裏参道を通って秋葉山を登ることになる。天龍川の西岸にある西川《さいかわ》からは渡船で戸倉《とくら》に渡る。かつて戸倉には一〇数軒の宿屋や茶屋が建ち並んでいたという。戸倉からの裏参道は戸倉道とも呼ばれ、十六社神社がほぼ登り口に当たる。その先に一丁目の丁石が置かれ、三〇丁目の鳥居跡のあたりまでは険しい山道が続く。白尾稲荷社と池之田は三〇丁目の鳥居跡からまもなく先である。

伝説によれば、池之田から流れ出た大蛇は鮎釣の集落に近い天竜川の蛇淵《じゃぶち》まで下り落ちてきて、そこに棲み着いたとされる。

現在では天竜川の流れが変わってしまい、蛇淵に大蛇が棲むような景観を伺うことはできない。しかし、かつての蛇淵の近くにはガッサラと呼ばれる河原がある。『龍山村史』によると、寛政九年（一七九七）秋に戸倉で山崩れが発生し、崩壊した大岩石は太田家の長屋を倒して天竜川まで流れ出たとされる。そのときに崩れた岩石がガッサラの河原に転がっている岩であるという。太田家の墓所の背後には今でも大岩が積み重なっている。

太田家は秋葉山裏参道の一丁目に程近い。そこから上のほうは険しい斜面が続き、さらにその上の尾根に池之田と白尾稲荷社がある。

白尾稲荷社の傍らの窪地が本当に池の跡なのかはわからない。あるいは、自然の窪地が池の跡だと解釈されたのかもしれない。しかし、秋葉山の信仰とともに暮らしてきた戸倉の人々にとって、参道の登り口から岩石が崩落したことの衝撃は大きかっただろう。その山崩れの様相が、池之田から流れ出た大蛇の姿に重なったのかもしれない。

たらいに乗った女（一）

鎌倉　光子（水窪町・大里）

それこそ綺麗な仲の良いご夫婦がここらへんにいらっしゃって。

で、その、ちょっと大雨なのにね、子どもさんがいるので、お洗濯に。

「今日は危ないでやめた方がいい」っちゅったんだけど、その日に限って、ちっともね、言《ゆ》うこと聞かないでというかね。綺麗な奥さんがお洗濯に行ったら案の定雨が降ってきてね、水かさが増しちゃって。それで、たらいへ乗って帰ろうと思っただけど、そのまま流されちゃったって。んで、結局子どもさんがいるもんでね、子どもさんが泣いてしょうがなかったら、お父さん夢枕に立ってね。

ほんで、「今はね、あっちの方にいるけども、鏡と櫛が欲しいから持ってきて」っちゅったとかってね。

それで鳴瀬《なるせ》の淵っていう所へ持って行ったらね。そしたら、淵って昔すごい大きい淵だったんだけど、そこが渦巻きが出てきて、そのうちに綺麗な奥さんが出てきて。ほいで、鏡貰っていろいろ話《はなし》して、そのまま、その別れの時がきて帰ることになってね。そしたら「私の後姿は絶対見ないでください」っちゅったんだってね。だけどついね、心配だから見ちゃった。そしたら蛇《じゃ》になってたっていうことでね。

で、言うにはそこの蛇の、淵の竜の奥さんにされちゃったんだとかって。

女が洗濯に行ったと伝えられる水窪川と弁天島。

たらいに乗った女（二）

平田　衛（水窪町・向市場）

弁天様に、洗濯に、夫婦で行って、奥さんがたらい乗って
流れてったちゅうか、「行ってくるで」とかなんとか言って。
旦那さんがたまげて見送って、鳴瀬っていうとこまで
行って、訪ねて行ったら、「鳴瀬っていって、私はこういう
ところにおるで」っちゅって、どういうわけだかわかって
訪ねて行ったら、淵にガバガバとなって、
「私はもうこういう姿になったで、帰れんで」つって。
蛇になって、姿を、奥さんが。そいで、その夫婦には
一人子どもがおって、目が悪くて。
それで、「家《うち》へ鏡を忘れたで、鏡を持って来てくれりゃあ
子どもの目を治してやるで」っつって。
それで、持って来たら、
まあスルスルと淵の中へなんとなく落ちちゃって。
そしたら子どもが目が治ったたって。

水窪川と水
窪の町並み。

弁天島に祀られる弁財天の祠。

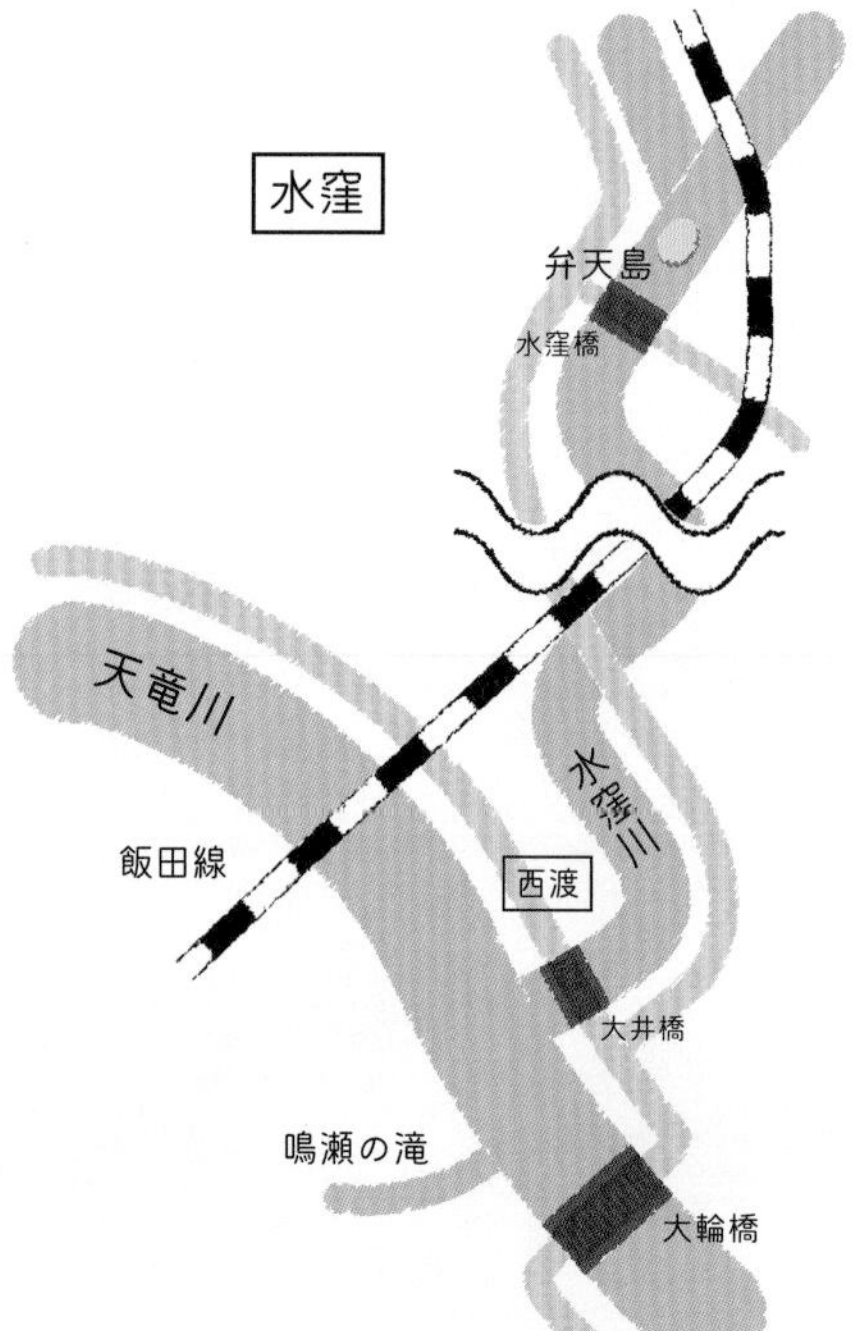

天竜川の鳴瀬の淵。右奥の木々の間から鳴瀬の滝が見える。女はこの淵まで流され、大蛇になったという。

伝承解説

青木ひめの

大雨で水窪川の水かさが増していた。しかし、女は夫が引きとめるのも聞かず、弁天様のところへ洗濯に出かけた。女はたらいに乗って川を流されてしまった。母親をなくした子どもは泣き続けて、目が見えなくなってしまう。夫は妻の鏡を持って天竜川の鳴瀬の淵を訪ねる。淵から現れた女は子どもの目を治し、大蛇の姿になって淵に消えた。

水窪川は南アルプスに連なる白倉山から流れ落ち、やがて天竜川に合流する。普段は穏やかな渓流だが、大雨が降ると水窪川の水かさはたちまち増加する。白倉川や草木川、戸中川など、急峻な渓谷の沢の流れが集まっていることにより、水窪川はたびたび鉄砲水や氾濫を引き起こしてきた。浜松市天竜区区振興課が編纂した『天竜区版避難行動計画　まず守れ！わが身の安全』等によると、戦後では昭和三五年（一九六〇）に、台風一一号と一二号の影響で翁川が氾濫し、土砂と流木で溢れた濁流は下流の水窪川の護岸をも決壊させて甚大な被害をもたらしたという。昭和四三年（一九六八）にも台風と秋雨前線によって水窪川で鉄砲水が発生し、民家が押し流された。昭和五七年（一九八二）の集中豪雨でも水窪川が氾濫し、水窪盆地に被害が発生している。

一方で、そうした水窪川の氾濫は水窪盆地に栄養価の高い土壌を形成させた。傾斜地の多い水窪では土壌も痩せていて稲作には不向きな集落が多い。しかし、水窪川の恩恵を受けた小畑や大里には昔は水田が広がっていた。

また、水窪の経済を支えてきた林業にとっても水窪川はなくてはならない存在であった。昭和三〇年代から四〇年代にかけて道路が開発される前は、山林から伐り出された木材を水窪川に流して天竜方面へ運んだ。川底の浅い水窪川では、木材を貯めて川の流れを堰き止め、十分な水量を確保したうえで堰を切って木材を押し流す「川狩り」が行われていた。

女が洗濯に行ったという弁天島は水窪川の小さな中洲である。島には弁財天の祠が祀られている。弁財天は女神であり、蛇はその化身とされる。女がこの島から流されて、やがて蛇身になるという伝説にも通じるだろう。

水窪川は弁天島から一四㎞ほど流れて、佐久間町の西渡で天竜川に合流する。そこからさらに天竜川を二㎞ほど下ったあたりが鳴瀬の淵である。右岸には鳴瀬の滝が見えてくる。水窪川が濁流と化して行き着く先は鳴瀬の淵であった。鳴瀬の滝には八大竜王が祀られていた。その霊験は眼病に効くとされ、病が治ると鏡を奉納したという。蛇身となった女が我が子の目を治したというエピソードは、おそらくこの信仰に関係するものだろう。

上村《うえむら》の蛇聟《へびむこ》入り（一）

高木　つる子（水窪町・上村）

がや下の横のよ、あそこが池だか何だかになったっつって言ってさ、あんとき祢宜屋《ねぎや》に娘さんがおって。ほいでお坊さんになって祢宜屋に通って、節穴から入ってくるみたい。そしたら娘さんがだんだん、だんだん、なんかだんだん痩せてきて。ほいだもんで「変だ」っていうとこで。ほしたら衣の針をやって、糸通して。ほいでその後追っただって。そのお坊さんの後を。ほいだら沼へ入ったもんで、蛇んなって。ほいでその蛇が、荒れて出て。ほいであそこの横が「あらし」って。あそこは荒れて出た。ほんで「あらし」って言う。そこの地所はね、なんかほいだもんで、何か作ると、なんか良くないのよ。家が滅びるとか、なんか不幸があったりとか、そういったあれになっちゃって。

上村の蛇聟入り（二）

鎌倉　秀雄（水窪町・向市場）

昔なぁ、祢宜屋《ねんや》というよ、祢宜屋というのは昔祢宜《ねぎ》様やったとこだなぁ。そんでそこに女中やなんかが、大変おったらしいだよ。ところがその横にな、その祢宜屋の横によ、夏場《なつば》というとこがあって、

高根城址から眺望する上村と向市場。山腹の集落が上村、麓が向市場。

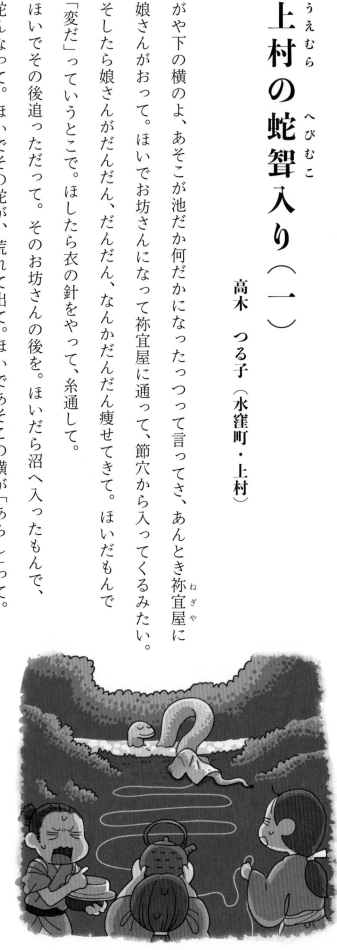

そこに恐ろしいあれがよ、池があってよ、そこに蛇《じゃ》が住んでおっただ。ほでその祢宜屋んとこへよ、その女中がおるとこへ夜這《よば》いに行くだってよ。ほんだがその祢宜屋の年寄りがおってなぁ、お婆というものが、「いくらおかしい。夜這いに来るが、来る音がせん」ってよ。出て行く音もせんし。

で、夜這いをきっと来るってよ。ほんでどうも不思議だっていうとこで、今度《こんだ》、女中衆によ、「今度なぁ夜這いが来たらよ、糸をつけてやれ」って。ほんでお婆が言ったって。

で、女中衆がよ、正直に糸をつけて、「やりゃあわかるでなぁ。その糸を明くる朝よ、その糸追ってきゃどっから出たか、どっから来たかわかるで」って。ほたら夏場のよ、池入っただ。ほで、ここの蛇だっていうとこでよ。

ほから「金物放り込め」って。蛇は金物嫌うわで。ほれから皆したで放り込んだだ。ほいたら蛇がいたたまれんもんでよ、今度跳んで出ていっただいなぁ。こんでとこであらけてよ、あたけてよ、ほんで下っただ。

そこを「あらし」って。今でも「あらし」って。

沼があったと言い
伝えられる薮。

沼の蛇が荒れて出たとされる
「あらし」とその沢。

蛇が坊さんに化けて通ったという「ねんや」の伊藤家。

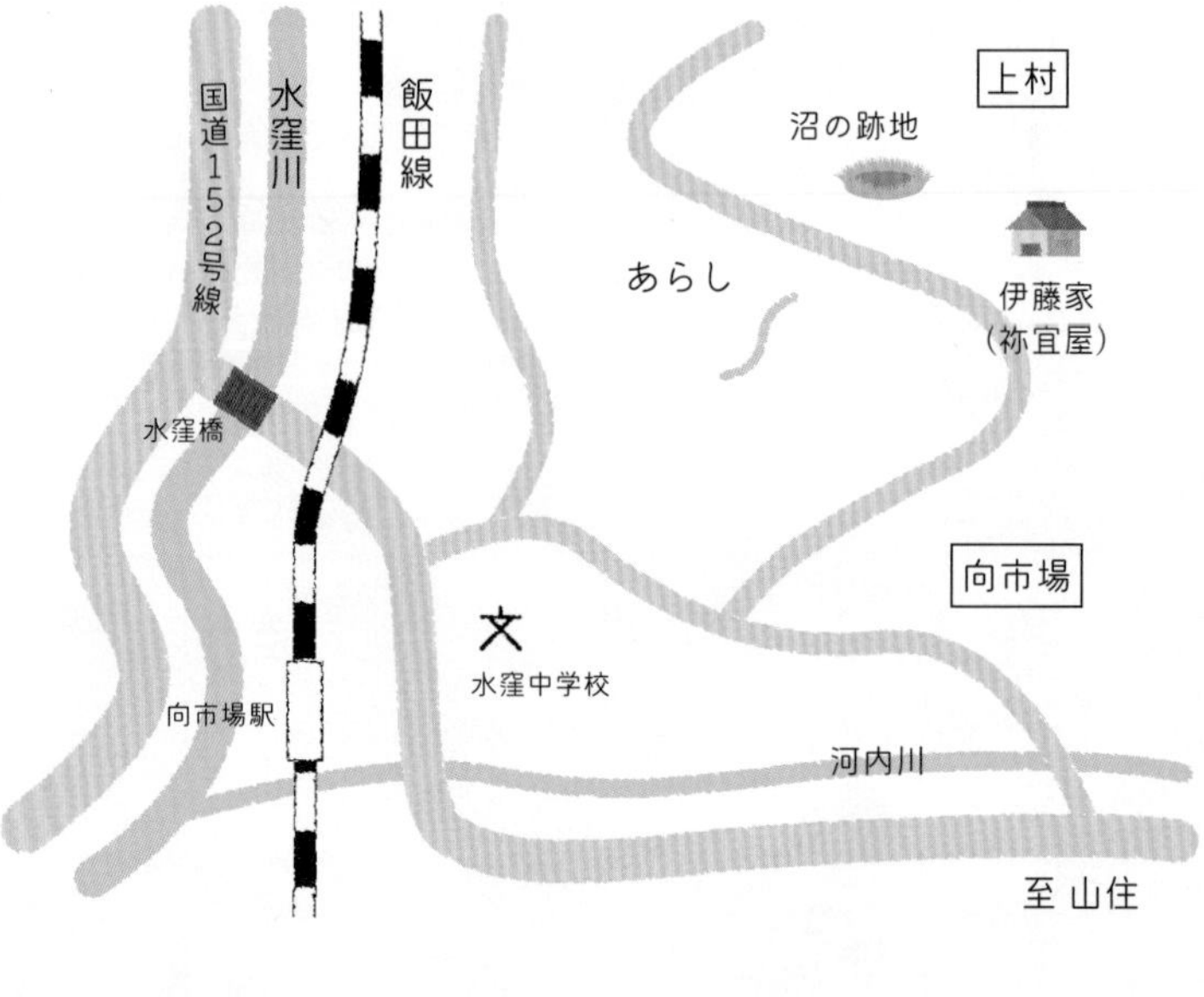

伝承解説

米川　沙弥

　水窪の上村にある祢宜屋の娘のもとに夜な夜な坊さんが通って来ていた。ところが娘はだんだんと痩せていった。不審に思った娘は坊さんの正体を知るため、衣に糸のついた針を刺した。その糸を辿ってみると、坊さんは蛇になり沼へ入っていった。針の金気に苦しんだ蛇は沼から荒れて出た。村の人々が金気の物を沼へ投げ込み、蛇が暴れ出たという話もある。その場所は「あらし」と呼ばれている。

　上村の蛇聟入りでは、坊さんに化けた蛇が祢宜屋の娘のもとへ通って来たという。水窪では、神職としての祢宜とは別に、「祢宜さま」と呼ばれる民間の祈祷師たちがいる。祢宜さまは氏神の祭祀を司り、占いや祈祷を執り行ってきた。特に霊力の強い祢宜さまは死霊の鎮魂まで手掛けたという。水窪の人々にとって祢宜さまは生活の中になくてはならない存在であった。

　蛇聟入りは伝説や昔話として全国各地に伝えられ、古くは『古事記』や『日本書紀』にまで遡ることができる。神話では蛇聟の正体は三輪の神であり、神を祀る特別な女性のもとに通って来た。上村に伝わる蛇聟入りが神を祀る祢宜屋の娘のもとへ通ったというのは、そうした記紀神話に近く、蛇聟入りの古い話柄を残すものかもしれない。

　上村の蛇聟入りで語られる祢宜屋は現在の伊藤家である。伊藤家は江戸時代から上村の日月神社と牛頭天王神社の神職を務めてきた（植木豊『さかや 水窪小畑 天野家』）。伊藤家の人々は「（名前）様」と敬称で呼ばれ、上村でも格別の家柄とされる。一方で、伊藤家は「祢宜屋（ねんや）」という屋号でも呼ばれている。神職としての祢宜の由緒を持ちながら、祈禱師としての祢宜さまの役を務めていた時期があったと考えられる。

　伊藤家の屋敷から蛇が入っていったという沼の跡までは歩いて二～三分ほどの距離である。沼の跡と伝わる場所は、現在では荒れた藪になっている。かつては畑だったというが、その土地を所有すると不幸が起こると伝えられてきた。忌地となった沼の鎮魂と祭祀に伊藤家の祢宜さまが関わっていたのかもしれない。

　上村は標高三五〇ｍから五〇〇ｍ近くにかけての急な山地斜面にある。伊藤家や沼の跡地は集落の中でも斜面の上のほうに位置し、蛇が沼から暴れ出て行ったという「あらし」はさらに急な傾斜にある。「あらし」には沢が流れており、蛇が沼から荒れて出た際にこの沢ができたとも伝えられている。沼から荒れ出た蛇が沢の水とともに斜面を滑り下りる姿は、おそらくこの場所での土砂災害の様子を伝えるものであろう。それもまた祢宜屋が祀り鎮めていたのかもしれない。

Tale 06

沼元《ぬまもと》の池野《いけの》明神

高氏　富雄（水窪町・西浦）

おらの方はね、あそこに、おらの沼元っつう大きな池があってね、昔。
そこに大きな大蛇が二匹、二頭おったって、いうことです。
その二頭がね、ある日突然、上から大きな岩がこけてきて、
転がってきて、一頭、あの、雌蛇《めじゃ》と雄蛇《おじゃ》っつだ、雄《おす》と雌《めす》だね。
どっちか、雄の方やったか雌かちょっとそれは記憶にねえなぁ。
ほれで、死んじゃったで、石、当たって。
それで、一頭がね、これは悲しすぎてね、
その池の堤《つつみ》を破って、下へ下《くだ》ったっていうことよ。天竜川の方へ向けて。
それでね、その蛇《じゃ》を供養するために、お宮を作ったよ、池野大明神という。
それも儂《わし》たちの、神様祀って、これを集落全体でお祭りやるがね。

上空から見た沼元。窪地状の地形はかつての池の跡と伝えられる。

山から転げ落ちてきたと伝えられる岩。岩の上の祠にも大蛇の霊が祀られている。

池野明神の社殿跡。死んだ大蛇の霊を祀っていたという。

沼元の大蛇が落ちてきたという「かまだろ」。滝の落差は10m ほどもある。

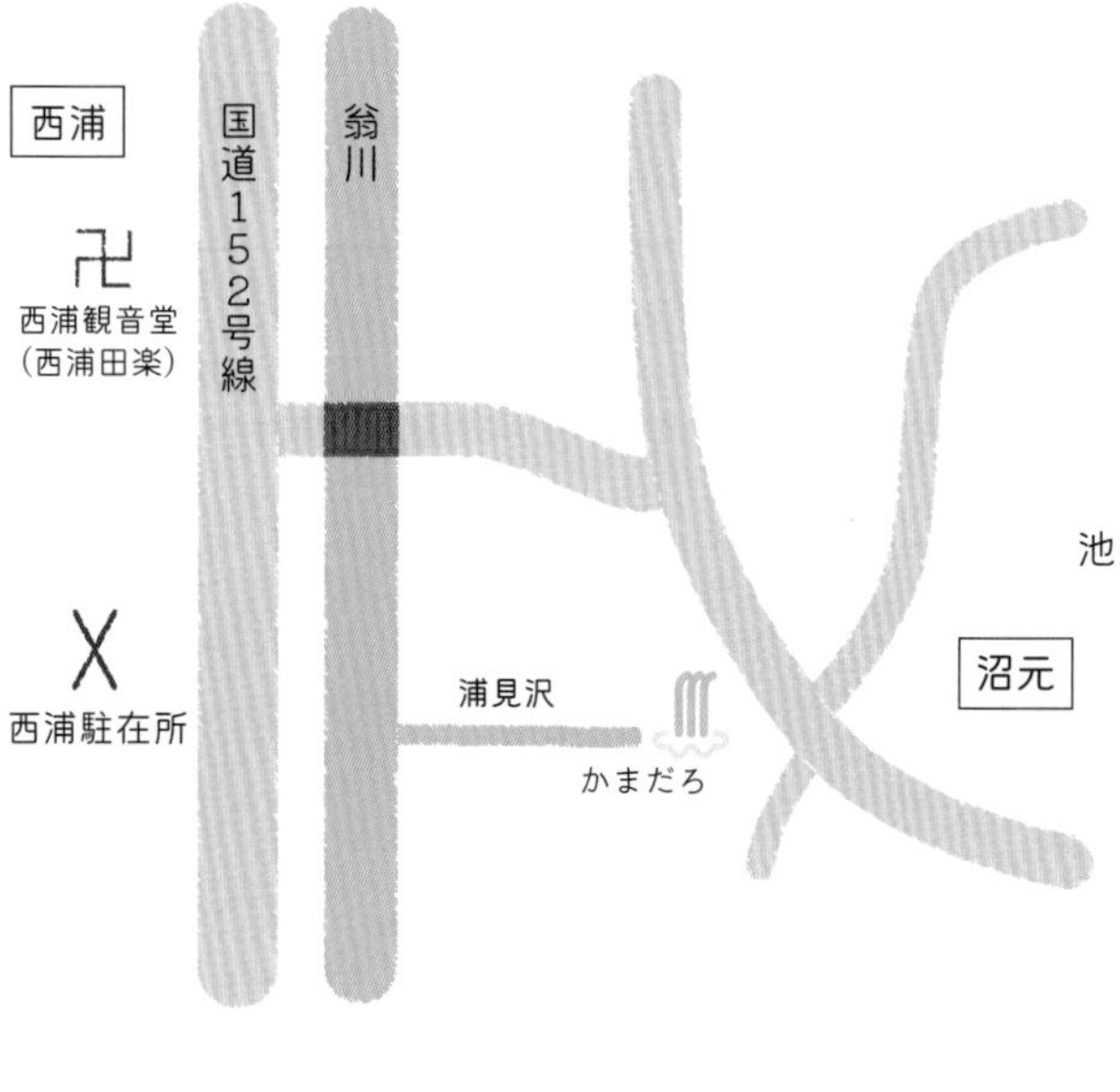

伝承解説

松井　佐織

水窪の中心街から翁川に沿って国道一五二号線を北に五㎞ほど行くと西浦地区に入る。西浦は、東に青ナギ山、大沢山、西はオオモウ山、観音山に挟まれた深い谷あいの集落である。この地に伝わる「西浦田楽」は昭和五一年（一九七六）に国の重要無形民俗文化財の第一回指定を受け、日本を代表する民俗芸能の一つとして知られている。

西浦の駐在所を過ぎた少し先で国道一五二号線を左折し、翁川にかかるシナゴ橋を渡ると市道水窪桂山線に入る。現在では車の交通量も少ないが、国道一五二号線が開かれる以前は信州から遠州へ向かう秋葉街道の一部であった。秋葉街道は信州から秋葉山への参詣道であり、交易の要路としても賑わい、街道沿いには集落が点在していた。沼元もそうした集落の一つである。

昔、沼元に大きな池があった。そこに夫婦の大蛇が住んでいた。ある日、突然、岩が転げ落ちて一匹に当たり、大蛇はそのまま死んでしまった。つがいを失ったもう一匹の大蛇は悲しみのあまり池の堤を破り、翁川から天竜川の方まで下っていったという。あるいは、沼元の真下にあたる途中島の「かまだろ」と呼ばれる滝で休んだ後、天竜川まで下って鳴瀬の淵に住むようになったとも言われている。沼元の人たちは死んだ大蛇を供養するために祠を立て、集落全体で祭りを催すようになった。

沼元は青ナギ山の麓近くの斜面に位置する集落であるが、池野明神の社の前だけ周囲二〇〇ｍほどのなだらかな窪地が広がっている。そのあたりが池の跡だと信じられているが、歴史的な事実として本当に池があったのか定かではない。しかし池があったかどうかの真相よりも、「昔、ここに池があった。大蛇が池の堤を破って出て行ってしまった」という伝承の真意のほうに注目するべきであろう。沼元のなだらかな土地とは打って変わって、下には崖と言ってよいほどの急峻な斜面が翁川まで続いている。つがいを失った大蛇が池の堤を破り、「かまだろ」を下り落ちてゆく姿は、その急峻な斜面に起こった沢崩れや地すべりの様子だったのではないだろうか。

かつて池野明神では一二月の霜月祭にあわせて祭礼が催されていた。祭りの時期は一二月から九月に、九月から一〇月と変遷してきた。その祭礼には沼元と新細の住民だけでなく、坂の下にある翁川沿いの途中島の住民たちも参加していたという。社祠には池野明神と書かれたのぼり旗が立てられ、湯立を行うための火が焚かれ、参加した住民たちには白米と味噌汁が振る舞われた。途中島の住民たちが池野明神の祭礼に参加していたのは、大蛇の荒れ落ちる姿を怖れたからだったかもしれない。

あとがき

二本松　康宏

　ゼミの学生たちとともに北遠で民話の採録を始めてから七年になる。水窪で三年、龍山で一年、二〇一八年からは春野を訪ね歩いてきた。伝説や昔話は地域と家庭に語り継がれた形のない文化財である。私たちはそれを「心と記憶の文化遺産」と呼んでいる。

　二〇二〇年、新型コロナウイルスの感染が世界規模で流行し、我が国においてもさまざまな社会活動が消沈を余儀なくされた。民話の採録では高齢者との「密」な接触が避けられない。私たちが感染を持ち込んでしまう危険性だってあり得る。これまでどおりの採録調査なんてできるわけがない。

　このような状況になってみて、これまで採録調査ができたことのありがたさをあらためて痛感した。集会所に集まっていただく。ご自宅へ訪問させていただく。その一つ一つがあたりまえのことではなかった。私たちはどれほど多くのかけがえのない善意に支えられていたことか。

　伝承文学ゼミには幾つかのポリシーが受け継がれている。その一つに「目的のためにあらゆる手段を模索し、最善を尽くせ」という行動原理がある。目的は決まっている。学問をもって地域や社会に貢献すること。そして私たちの調査を支えてくださった水窪の、龍山の、春野の、おとうさん、おかあさんたちの思いに応えること。その目的の本質さえ見失わなければ、たとえこれまでのような採録調査はできなくても、他に手段はあるはず。多くの制約の中でそれを模索し、そして学生たちは最善を尽くした。そのありったけが、わずか三〇ページのこの薄い書籍に込められている。

　たった六話である。しかし、この書籍を読まれた方がさらに北遠の災害伝承に関心をお持ちいただけるようになれば、私たちの思いも願いもそこに受け継がれるだろう。

　このたびの変則的な書籍の刊行にも株式会社三弥井書店が発行元となってくださった。吉田敬弥社長と吉田智恵編集長のご厚情にはいつも言葉の尽くしようがない。心から厚く御礼を申し上げます。

　そして、新型コロナ禍の中にも関わらず学生たちの調査にご協力いただいた水窪の、龍山の、春野の、おとうさん、おかあさんたちに心より感謝申し上げます。皆さんが私たちに託してくださった「心と記憶の文化遺産」は、こうして確かにお預かりいたします。

二〇二一年二月一〇日